sigue los puntos - colorea los dibujos y completa lo que falta en todo el cuaderno.

h h h h h h h

h h h h

h h h h h

h h h

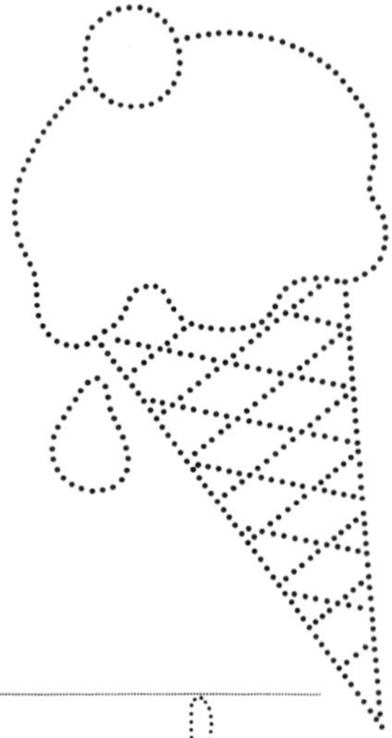

ha he hi ho hu

ha he hi ho hu

hice un helado

hice un

8 8 8 8 8 8 8 8 8 8 8 8

h h h h

h h h h

h h h

allá va el hada

allá va el

allá el hada

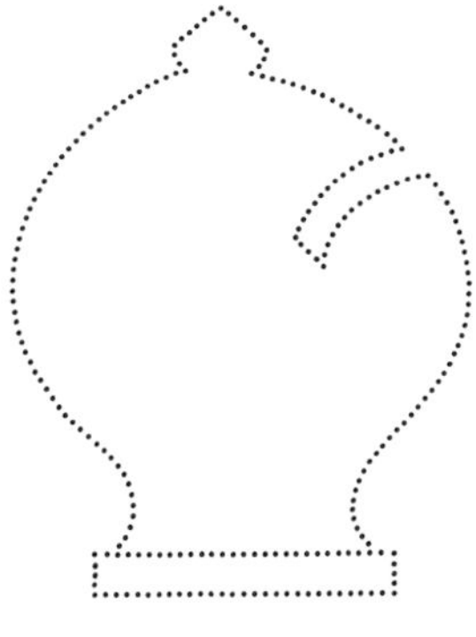

unos ahorros

unos ahorros

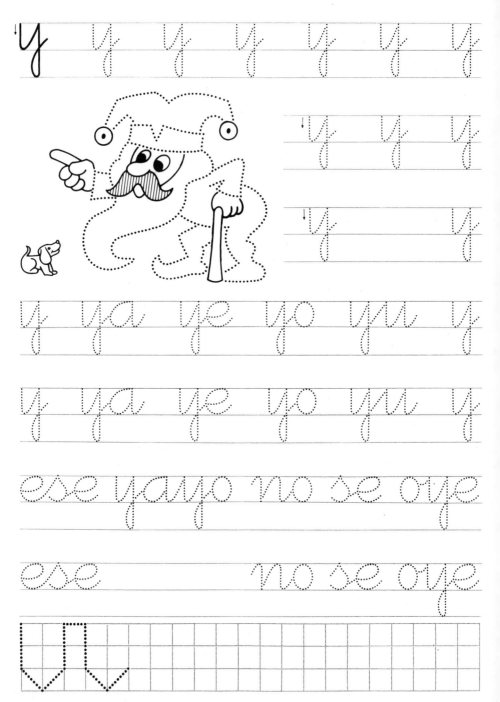

y y y y y y y

y y y

y y

y ya ye yo yu y

y ya ye yo yu y

ese yayo no se oye

ese no se oye

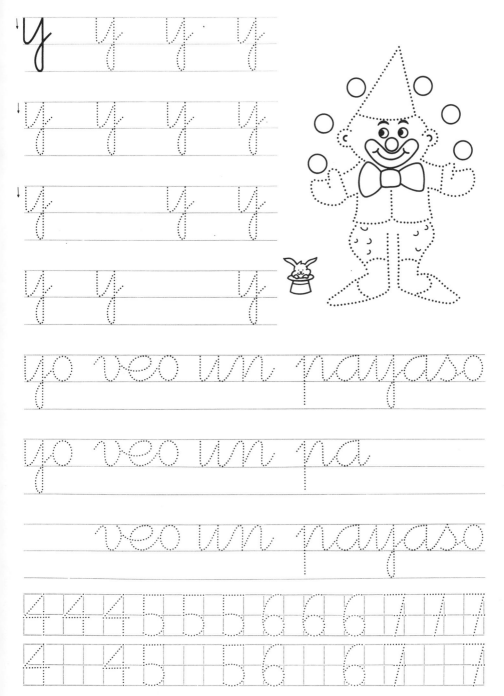

y y y y

y y y y

y y y

y y y

yo veo un payaso

yo veo un pa

veo un payaso

4 4 4 5 5 5 6 6 6 7 7 7

4 4 5 5 6 6 7 7

j j j j j j j j

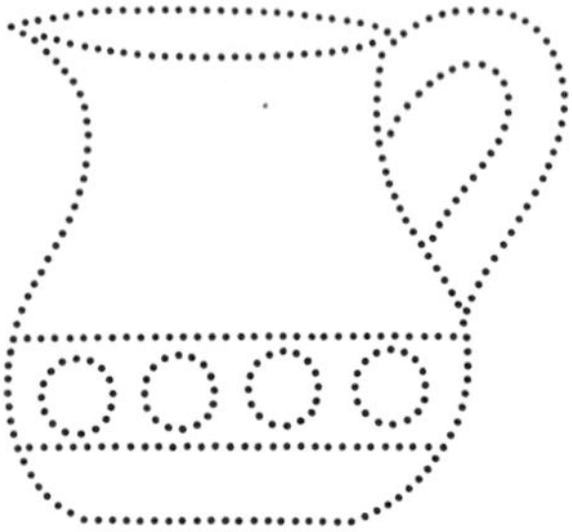

j j j j

j j j j

j ja je ji jo ju

j ja je ji jo ju

cojo un jarro viejo

cojo un viejo

q q q q q q q q q q q q q

j j j

j j j

j j j j j

josé baila la jota

josé baila la

baila la jota

9 9 9 9 9 8 8 8 8

f f f f

f f f

f fa fe fi fo fu

f fa fe fi fo fu

hay fruta fresca

hay fresca

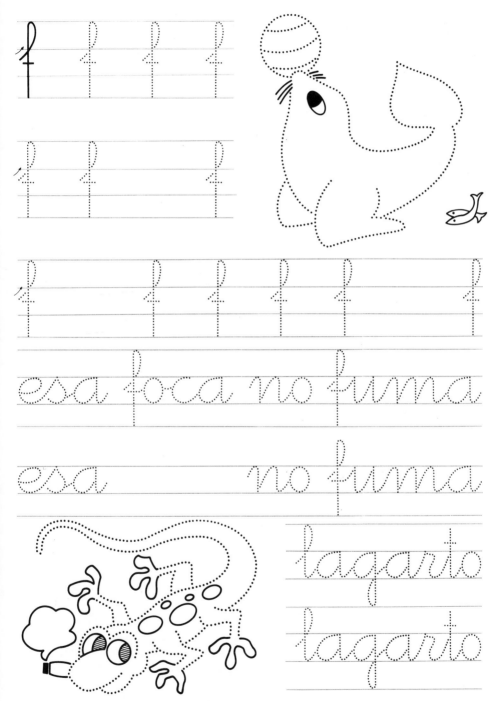

f f f f

f f f

f f f f f f

esa foca no fuma

esa no fuma

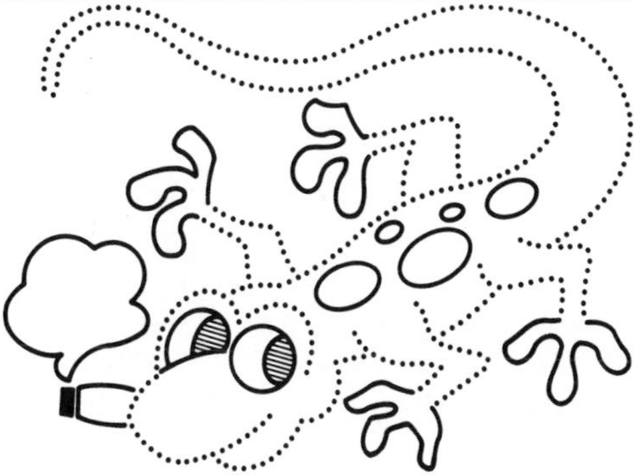

lagarto

lagarto

ch ch ch ch ch

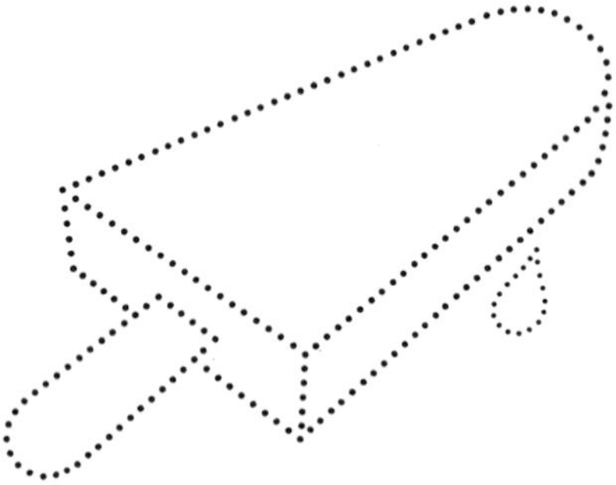

cha che chi cho

cha che chi cho

son para chupar

son para

O O O O O O O O O O O O

ch ch ch ch ch

chino

chino

ocho en un coche

en un coche

ocho en un

0 0 0 0 0

0 0 0

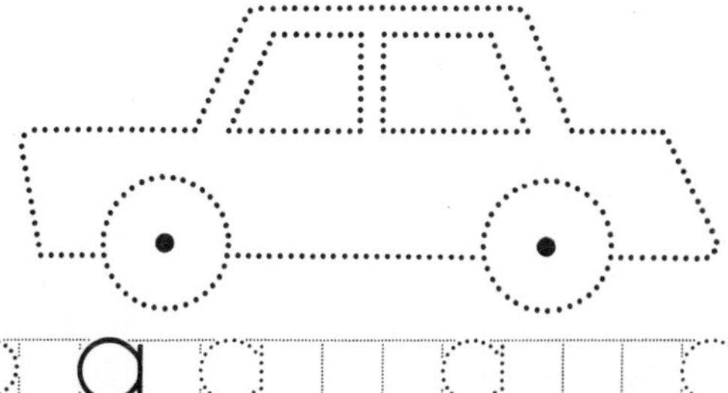

8 8 8 8 9 9 9 9

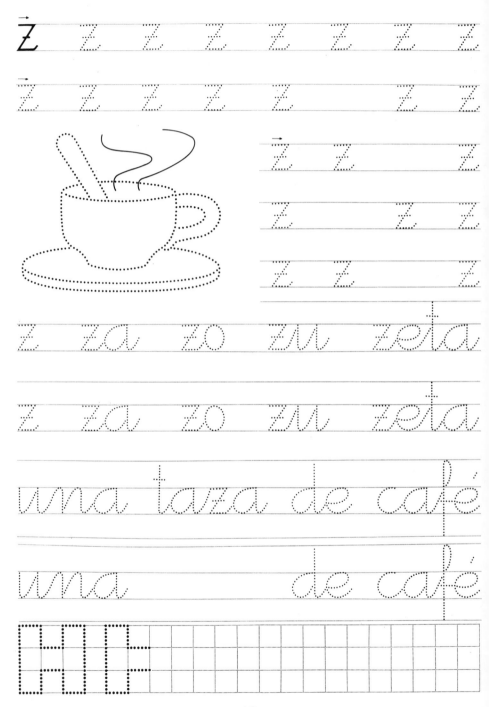

z z z z z z z z

z z z z z z z

z z z

z z z

z z z

z za zo zu zeta

z za zo zu zeta

una taza de café

una de café

Z Z Z Z

Z Z Z Z

Z Z Z

Z Z Z

el zorro es astuto

el es astuto

el zorro es a

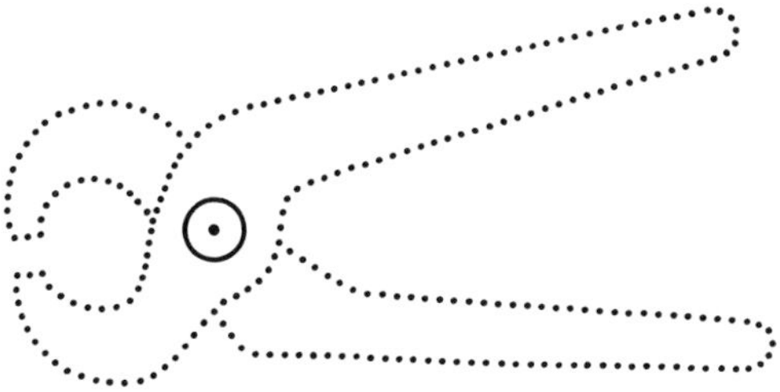

tenaza

tena

1 1 2 2 3 3

x x x x x x x

x x x x x x

x x

x x x

x x

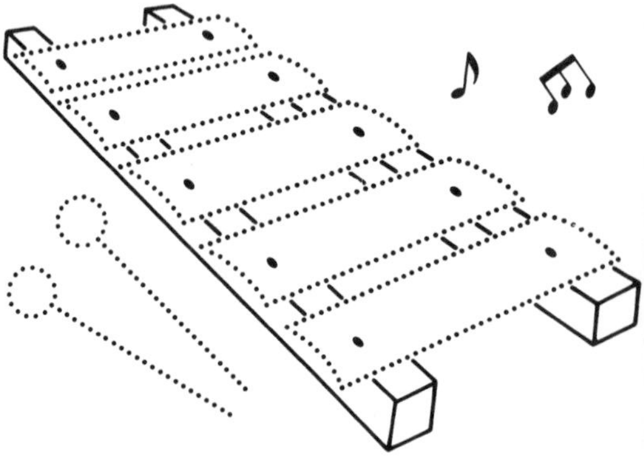

xa xe xi xo xu

xa xe xi xo xu

se llama xilófono

se lla xilófo

8 8 8 8 9 9 9 9

x x x x

x x x

x x x x

x x x

x x x x

te gusta el boxeo

te gusta el

gusta el boxeo

0 0 0 0 6 6 7 7

qu qu qu qu qu

qu qu

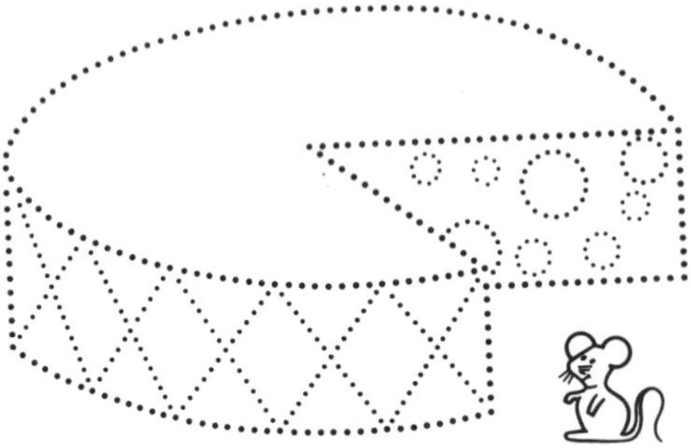

qu

qui que qui que

qui que qui que

aquel queso pesa

aquel pesa

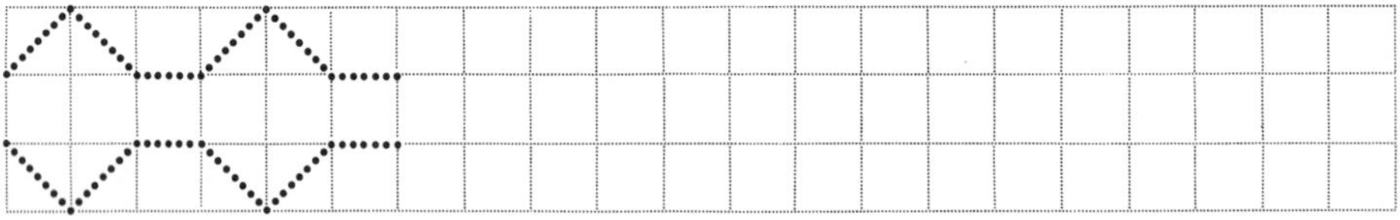

qu qu

qu

qu qu

qui que qui que

que qui

el quijote cabalga

quijote cabalga

el cabalga

4 4 5 5 6 6

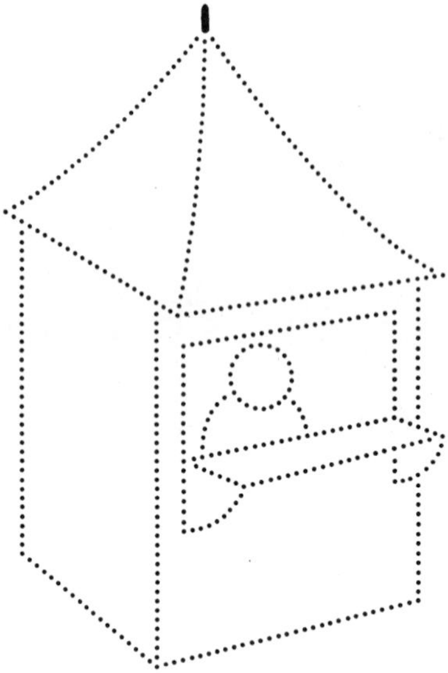

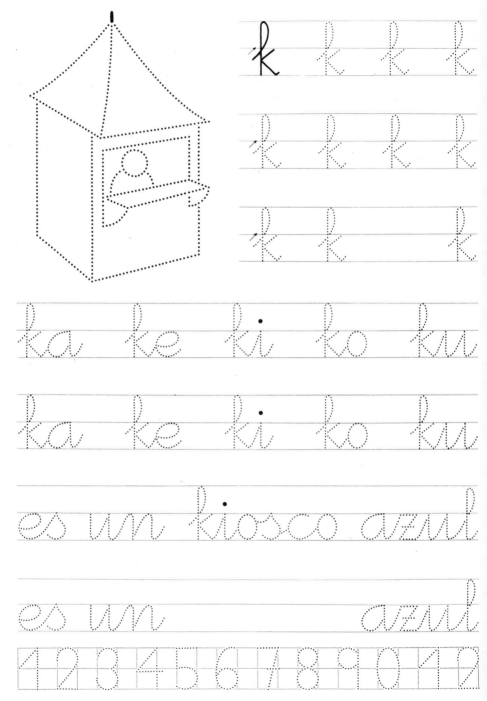

k k k k

k k k k

k k k

ka ke ki ko ku

ka ke ki ko ku

es un kiosco azul

es un azul

1 2 3 4 5 6 7 8 9 0 1 2

k k k k k

k k k k

k k k k

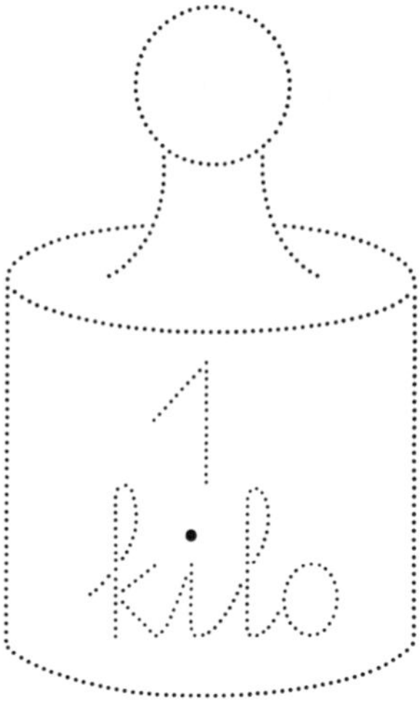

1 kilo de cerezas

1 kilo de cerezas

1 kilo de

árbol árbol

árbol

h h h

y y y

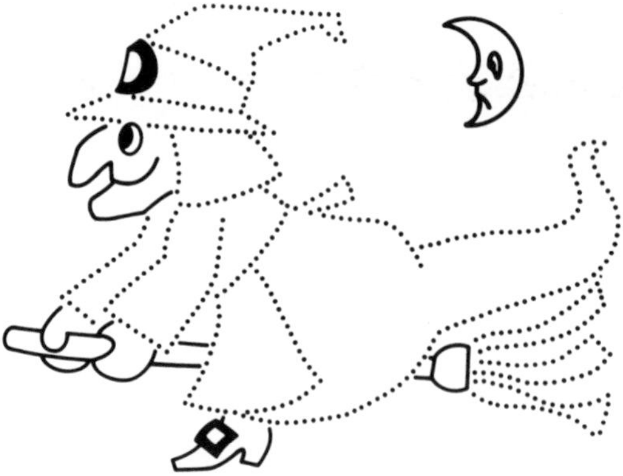

j j

f f

ch ch ch

z z z

x x x

qu qu qu

k k

8 8 9 9 0 0